하루 한 장 75일
집중 완성

KB087377

교과
연산

B3

초2 곱셈구구

변화를 정확히 이해해야 합니다.

수학의 기본이면서 이제는 필수가 된 연산 학습, 그런데 왜 우리 아이들은 많은 학습지를 풀고도 학교에 가면 연산 문제를 해결하지 못할까요?

지금 우리 아이들이 학습하는 교과서는 과거와는 많이 다릅니다. 단순 계산력을 확인하는 문제 대신 다양한 상황을 제시하고 상황에 맞게 문제를 해결하는 과정을 평가합니다. 그래서 단순히 계산하여 답을 내는 것보다 문장을 이해하고 상황을 판단하여 스스로 식을 세우고 문제를 해결하는 복합적인 사고 과정이 필요합니다.

그림을 보고 상황을 판단하는 능력, 그림을 보고 상황을 말로 표현하는 능력, 문장을 이해하는 능력 등 상황 판단 능력을 길러야 하는 이유입니다.

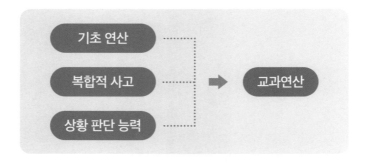

연산 원리를 학습함에 있어서도 대표적인 하나의 풀이 방법을 공식처럼 외우기만 해서는 지금의 연산 문제를 해결하기 어렵습니다. 연산 학습과 함께 다양한 방법으로 수를 분해하고 결합하는 과정, 즉 수 자체에 대한 학습도 병행되어야 합니다.

교과연산은 연산 학습과 함께 수 자체를 온전히 학습할 수 있도록 단계마다 '수특강'을 구성하고 있습니다. 계산은 문제를 해결하는 하나의 과정으로서의 의미가 큽니다.

학교에서 배우게 될 내용과 직접적으로 관련이 있는 교과연산으로 가장 먼저 시작하기를 추천드립니다.
요즘 연산은 교과 연산입니다.

"계산은 그 자체가 목적이 아닙니다. 문제를 해결하는 하나의 과정입니다."

하루 **한** 장, 75일에 완성하는 **교과연산**

한 단계는 총 4권으로 수를 학습하는 0권과 연산을 학습하는 1권, 2권, 3권으로 구성되어 있습니다.

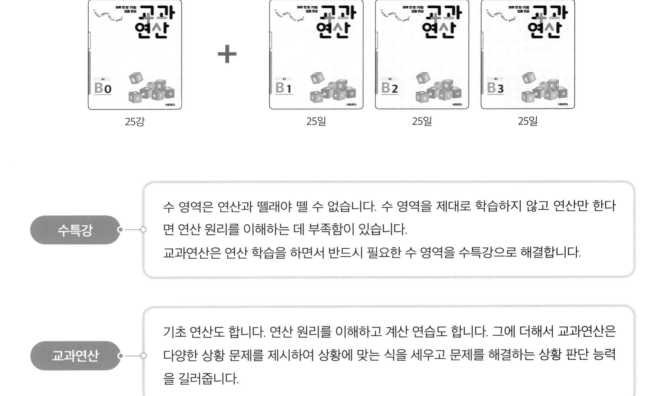

수특강   집중 교과연산

수특강

수 영역은 연산과 뗄래야 뗄 수 없습니다. 수 영역을 제대로 학습하지 않고 연산만 한다면 연산 원리를 이해하는 데 부족함이 있습니다.
교과연산은 연산 학습을 하면서 반드시 필요한 수 영역을 수특강으로 해결합니다.

교과연산

기초 연산도 합니다. 연산 원리를 이해하고 계산 연습도 합니다. 그에 더해서 교과연산은 다양한 상황 문제를 제시하여 상황에 맞는 식을 세우고 문제를 해결하는 상황 판단 능력을 길러줍니다.

"연산을 이해하기 위해서는 수를 먼저 이해해야 합니다."

원리는 기본, 복합적 사고 문제까지 다루는 교과연산

원리
수와 연산의 원리를
이해하고 연습합니다.

복합적 사고
연산 원리를 이용하여
다양한 소재의 복합적
문제를 해결합니다.

상황 판단 문제
문장 이해력을 기르고
상황에 맞는 식을 세워
문제를 해결합니다.

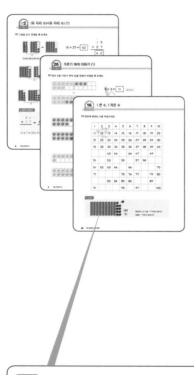

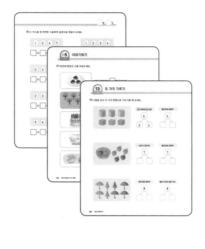

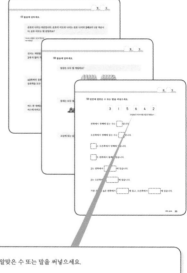

[체크 박스]
문제를 해결하는 데 도움이
되는 방향을 제시합니다.

🖋 빈칸에 알맞은 수 또는 말을 써넣으세요.

3	1	5	6	4	2

순서대로 수 카드에 적힌 수를 잘 구분합니다.

[개념 포인트]
꼭 필요한 기본 개념을
설명합니다.

> "교과연산은 꼬이고 꼬인 어려운 연산이 아닙니다.
> 일상 생활 속에서 상황을 판단하는 능력을 길러주는 연산입니다."

하루 **한** 장, 75일 집중 완성 교과연산 **묻고 답하기**

Q1 왜 교과연산인가요?

지금의 교과서는 과거의 교과서와는 많이 다릅니다. 하지만 아쉽게도 기존의 연산학습지는 과거의 연산 학습 방법을 그대로 답습하고 변화를 제대로 반영하지 못하고 있습니다. 교과연산은 교과서의 변화를 정확히 이해하고 체계적으로 학습을 할 수 있도록 안내합니다.

Q2 다른 연산 교재와 어떻게 다른가요?

교과연산은 변화된 교과서의 핵심 내용인 상황 판단 능력과 복합적 사고력을 길러주는 최신 연산 프로그램입니다. 또한 연산 학습의 바탕이 되는 '수'를 수특강으로 다루고 있어 수학의 기본이 되는 연산학습을 체계적으로 학습할 수 있습니다.

Q3 학교 진도와는 맞나요?

네, 교과연산은 학교 수업 진도와 최신 개정된 교과 단원에 맞추어 개발하였습니다.

Q4 단계 선택은 어떻게 해야 할까요?

권장 연령의 학습을 추천합니다.
다만, 처음 교과 연산을 시작하는 학생이라면 한 단계 낮추어 시작하는 것도 좋습니다.

Q5 '수특강'을 먼저 해야 하나요?

'수특강'을 가장 먼저 학습하는 것을 권장합니다. P단계를 예로 들어보면 P0(수특강)을 먼저 학습한 후 차례대로 P1~P3 학습을 진행합니다. '수특강'은 각 단계의 연산 원리와 개념을 정확하게 이해하고 상황 문제를 해결하는 데 디딤돌이 되어줄 것입니다.

이 책의 차례

2, 3, 6의 단

🗂 그림을 보고 2의 단 곱셈구구를 완성해 보세요.

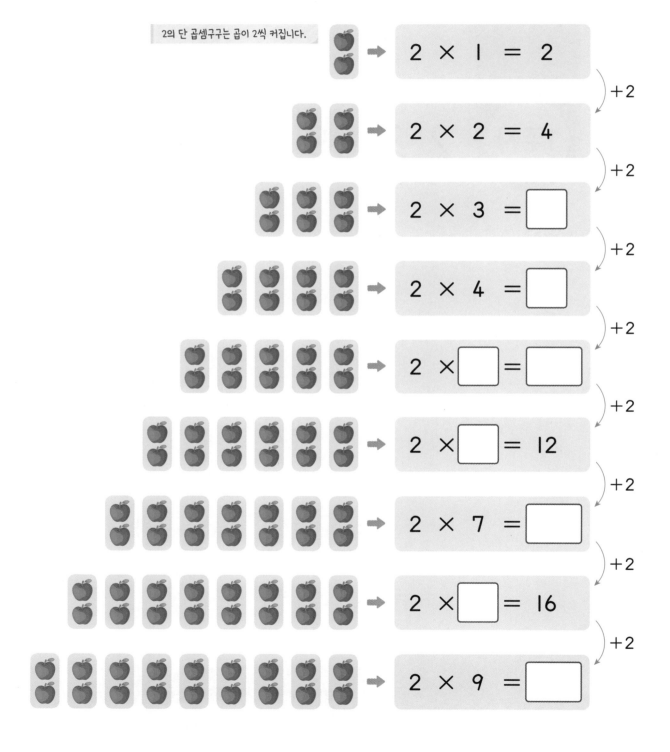

2의 단 곱셈구구는 곱이 2씩 커집니다.

$2 \times 1 = 2$

$+2$

$2 \times 2 = 4$

$+2$

$2 \times 3 = \boxed{}$

$+2$

$2 \times 4 = \boxed{}$

$+2$

$2 \times \boxed{} = \boxed{}$

$+2$

$2 \times \boxed{} = 12$

$+2$

$2 \times 7 = \boxed{}$

$+2$

$2 \times \boxed{} = 16$

$+2$

$2 \times 9 = \boxed{}$

📖 곱셈구구의 값을 찾아 이어 보세요.

2×1 •		• 4
2×4 •		• 2
2×2 •		• 8

2×5 •		• 16
2×3 •		• 6
2×8 •		• 10

2×7 •		• 12
2×6 •		• 18
2×9 •		• 14

3의 단

■ 그림을 보고 3의 단 곱셈구구를 완성해 보세요.

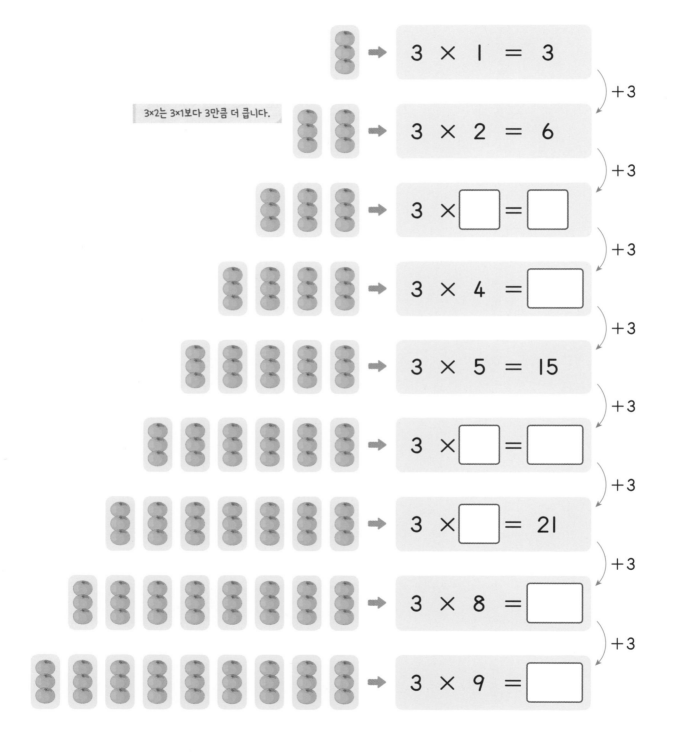

3×2는 3×1보다 3만큼 더 큽니다.

$3 \times 1 = 3$

$+3$

$3 \times 2 = 6$

$+3$

$3 \times \boxed{} = \boxed{}$

$+3$

$3 \times 4 = \boxed{}$

$+3$

$3 \times 5 = 15$

$+3$

$3 \times \boxed{} = \boxed{}$

$+3$

$3 \times \boxed{} = 21$

$+3$

$3 \times 8 = \boxed{}$

$+3$

$3 \times 9 = \boxed{}$

■ 곱셈구구의 값을 찾아 ◯표 하세요.

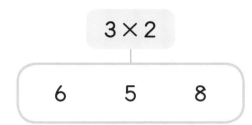

3 × 2

6   5   8

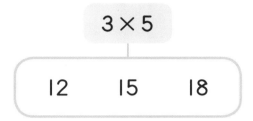

3 × 5

12   15   18

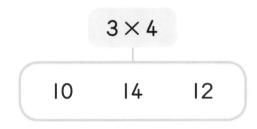

3 × 4

10   14   12

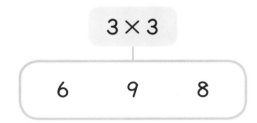

3 × 3

6   9   8

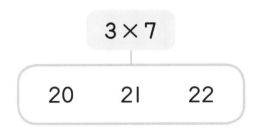

3 × 7

20   21   22

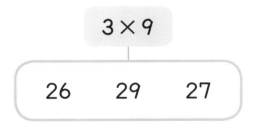

3 × 9

26   29   27

3 × 8

22   24   26

3 × 6

18   16   20

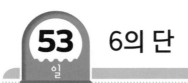

6의 단

그림을 보고 6의 단 곱셈구구를 완성해 보세요.

$6 \times 1 = 6$

$+6$

6×2는 6을 2번 더하는 것과 같습니다.

$6 \times 2 = \boxed{}$

$+6$

$6 \times \boxed{} = \boxed{}$

$+6$

6×4는 3×8과 같습니다.

$6 \times 4 = 24$

$+6$

$6 \times 5 = \boxed{}$

$+6$

$6 \times \boxed{} = \boxed{}$

$+6$

$6 \times \boxed{} = 42$

$+6$

$6 \times 8 = \boxed{}$

$+6$

$6 \times 9 = \boxed{}$

알맞게 이어 보세요.

| 6×3 | 6×5 | 6×2 | 6×4 |

| 12 | 18 | 30 | 24 |

| 6×6 | 6×9 | 6×8 | 6×7 |

| 54 | 42 | 36 | 48 |

| 6×2 | 6×4 | 6×1 | 6×3 |

| 3×8 | 3×4 | 3×6 | 3×2 |

곱셈식으로 나타내기

■ 물음에 답하세요.

밤이 모두 몇 개인지 곱셈식으로 나타내어 보세요.

$$2 \times \boxed{} = \boxed{}$$

달걀이 모두 몇 개인지 곱셈식으로 나타내어 보세요.

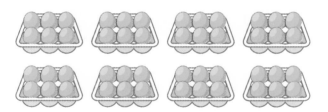

$$6 \times \boxed{} = \boxed{}$$

막대 1개의 길이는 3cm입니다. 막대 5개의 길이를 곱셈식으로 나타내어 보세요.

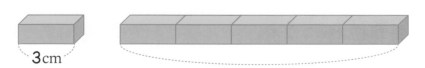

3cm

$$3 \times \boxed{} = \boxed{}$$

물음에 답하세요.

테니스공은 모두 몇 개인지 곱셈식으로 나타내어 보세요.

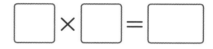

병아리의 다리는 모두 몇 개인지 곱셈식으로 나타내어 보세요.

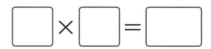

과녁에 맞힌 점수를 곱셈식으로 나타내어 보세요.

55 여러 가지 곱셈 방법

■ 빈칸에 알맞은 수를 써넣으세요.

2+2+2+2+2는 2 × ☐ 와/과 같습니다.

2 × 5는 2 × 4보다 ☐ 만큼 더 큽니다.

2 × 4는 2 × 5보다 ☐ 만큼 더 작습니다.

3+3+3+3+3+3은 3 × ☐ 와/과 같습니다.

3 × 6은 3 × 5보다 ☐ 만큼 더 큽니다.

3 × 5는 3 × 6보다 ☐ 만큼 더 작습니다.

알맞은 말에 ◯표 하세요.

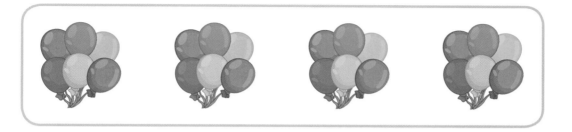

6×4는 6을 (3 , 4)번 더하는 것과 같습니다.

6×3에 (3 , 6)을 더하면 6×4입니다.

6×2를 (2 , 3)번 더하면 6×4입니다.

3×7은 3을 (6 , 7)번 더하는 것과 같습니다.

3×6에 (3 , 6)을 더하면 3×7입니다.

3×5에 (3×2 , 3×3)을/를 더하면 3×7입니다.

곱셈을 이용하여 빈칸에 알맞은 수를 써넣으세요.

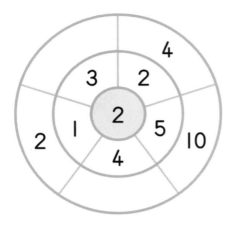

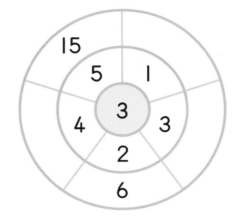

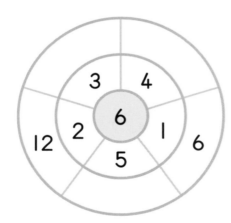

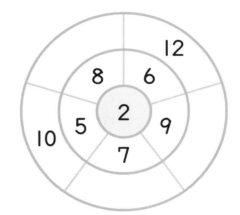

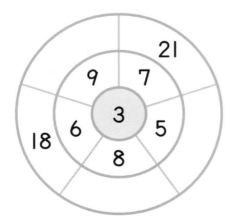

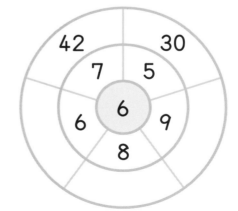

2주차

5, 4, 8의 단

56 5의 단

그림을 보고 5의 단 곱셈구구를 완성해 보세요.

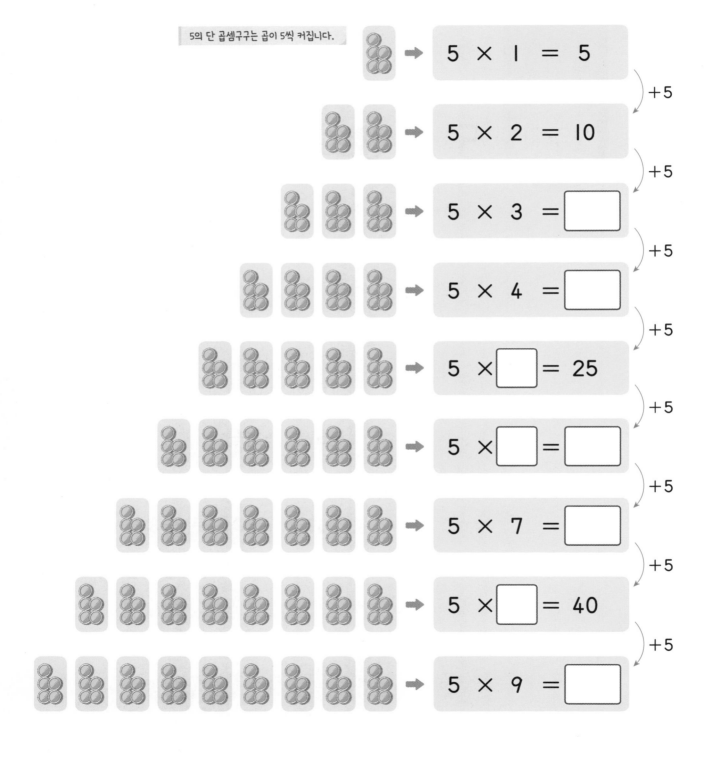

5의 단 곱셈구구는 곱이 5씩 커집니다.

$5 \times 1 = 5$

$+5$

$5 \times 2 = 10$

$+5$

$5 \times 3 = \boxed{}$

$+5$

$5 \times 4 = \boxed{}$

$+5$

$5 \times \boxed{} = 25$

$+5$

$5 \times \boxed{} = \boxed{}$

$+5$

$5 \times 7 = \boxed{}$

$+5$

$5 \times \boxed{} = 40$

$+5$

$5 \times 9 = \boxed{}$

곱셈구구의 값을 찾아 이어 보세요.

5 × 2 ·	· 5
5 × 3 ·	· 10
5 × 1 ·	· 15

5 × 5 ·	· 30
5 × 4 ·	· 20
5 × 6 ·	· 25

5 × 8 ·	· 40
5 × 9 ·	· 35
5 × 7 ·	· 45

4의 단

그림을 보고 4의 단 곱셈구구를 완성해 보세요.

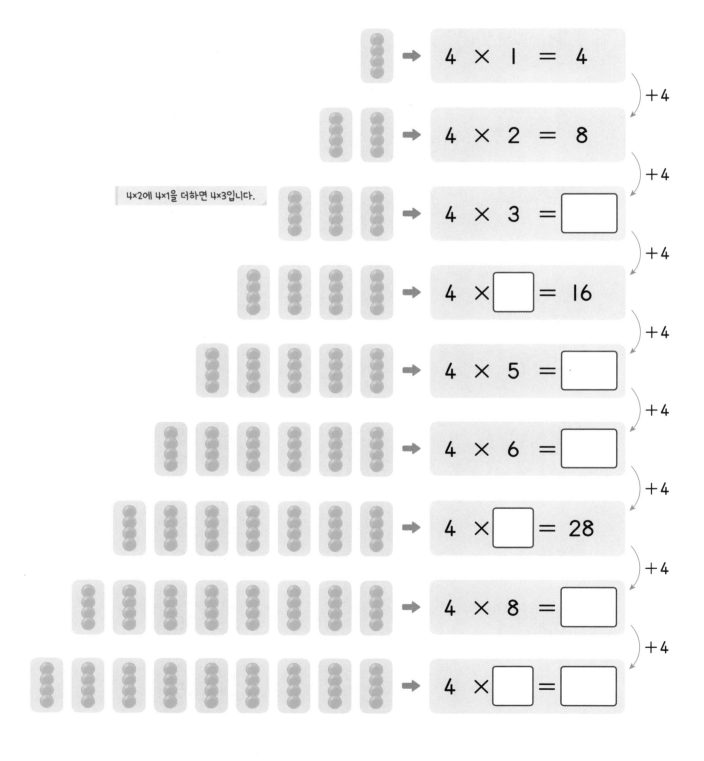

$4 \times 1 = 4$

$+4$

$4 \times 2 = 8$

$+4$

4×2에 4×1을 더하면 4×3입니다.

$4 \times 3 = \boxed{}$

$+4$

$4 \times \boxed{} = 16$

$+4$

$4 \times 5 = \boxed{}$

$+4$

$4 \times 6 = \boxed{}$

$+4$

$4 \times \boxed{} = 28$

$+4$

$4 \times 8 = \boxed{}$

$+4$

$4 \times \boxed{} = \boxed{}$

■ 곱셈구구의 값을 찾아 ◯표 하세요.

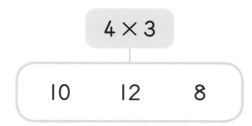

4 × 3

10   12   8

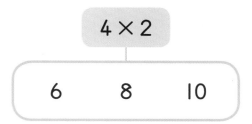

4 × 2

6   8   10

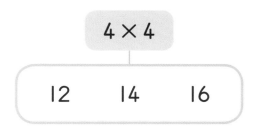

4 × 4

12   14   16

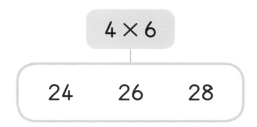

4 × 6

24   26   28

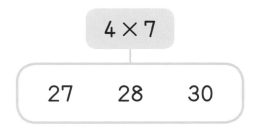

4 × 7

27   28   30

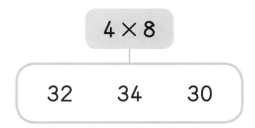

4 × 8

32   34   30

4 × 5

20   24   25

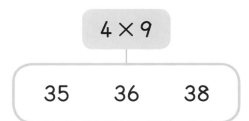

4 × 9

35   36   38

그림을 보고 **8**의 단 곱셈구구를 완성해 보세요.

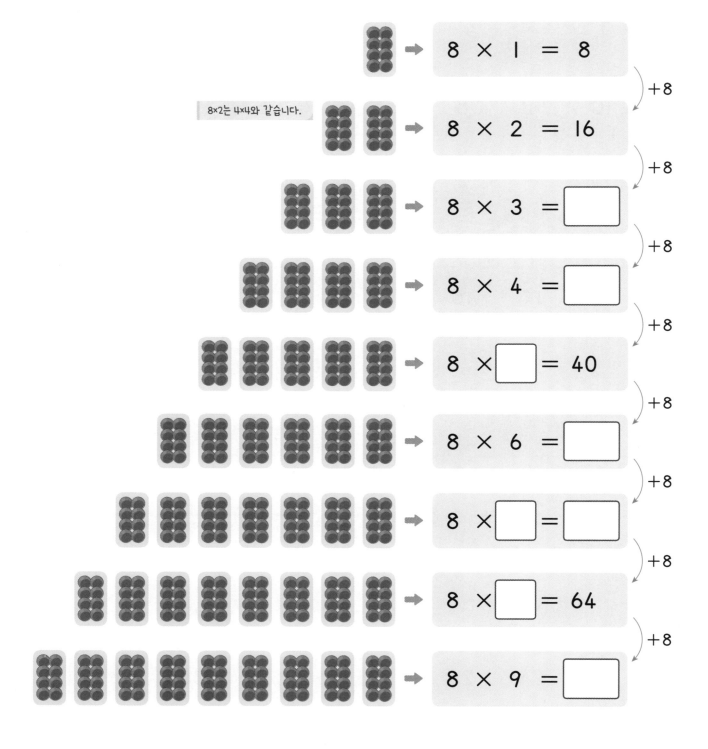

$8 \times 1 = 8$

8×2는 4×4와 같습니다.

$8 \times 2 = 16$

$+8$

$8 \times 3 = \boxed{}$

$+8$

$8 \times 4 = \boxed{}$

$+8$

$8 \times \boxed{} = 40$

$+8$

$8 \times 6 = \boxed{}$

$+8$

$8 \times \boxed{} = \boxed{}$

$+8$

$8 \times \boxed{} = 64$

$+8$

$8 \times 9 = \boxed{}$

📖 알맞게 이어 보세요.

8×2	8×4	8×3	8×5

32	40	16	24

8×8	8×6	8×7	8×9

48	64	72	56

8×1	8×3	8×4	8×2

4×6	4×8	4×4	4×2

■ 물음에 답하세요.

나뭇잎은 모두 몇 장인지 곱셈식으로 나타내어 보세요.

$5 \times \boxed{} = \boxed{}$

사탕이 모두 몇 개인지 곱셈식으로 나타내어 보세요.

$4 \times \boxed{} = \boxed{}$

막대 7개의 길이를 곱셈식으로 나타내어 보세요.

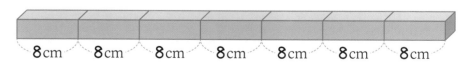

8cm 8cm 8cm 8cm 8cm 8cm 8cm

$8 \times \boxed{} = \boxed{}$

물음에 답하세요.

양의 다리는 모두 몇 개인지 곱셈식으로 나타내어 보세요.

☐ × ☐ = ☐

구슬은 모두 몇 개인지 곱셈식으로 나타내어 보세요.

☐ × ☐ = ☐

과녁에 맞힌 점수를 곱셈식으로 나타내어 보세요.

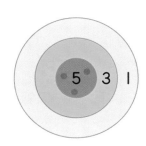

☐ × ☐ = ☐

여러 가지 곱셈 방법

🔖 여러 가지 방법으로 쌓기나무의 수를 구해 보세요.

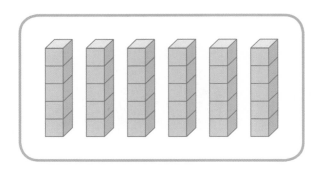

5를 ☐ 번 더합니다.

5 × ☐ 의 곱으로 구합니다.

5 × 5에 ☐ 을/를 더합니다.

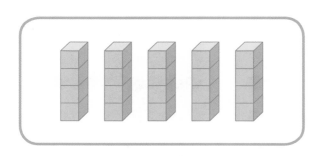

4를 ☐ 번 더합니다.

4 × ☐ 의 곱으로 구합니다.

4 × 4에 ☐ 을/를 더합니다.

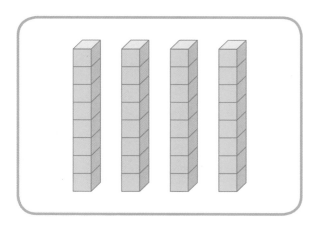

8을 ☐ 번 더합니다.

8 × ☐ 의 곱으로 구합니다.

8 × ☐ 에 8을 더합니다.

알맞은 말에 ◯표 하세요.

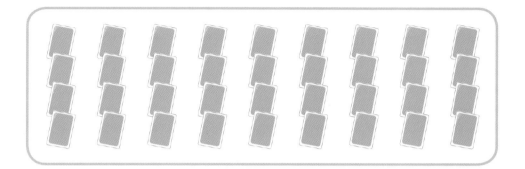

4 × 9는 4 × 8에 (4 , 8)을/를 더해서 구합니다.

4 × 9는 4 × 3을 (2 , 3)번 더해서 구합니다.

4 × 9는 4 × 5에 (4 × 4 , 4 × 3)을/를 더해서 구합니다.

8 × 6은 8 × 5에 (6 , 8)을 더해서 구합니다.

8 × 6은 8 × 3을 (2 , 3)번 더해서 구합니다.

8 × 6은 8 × 4에 (8 × 2 , 8 × 4)를 더해서 구합니다.

■ 빈칸에 알맞은 수를 써넣으세요.

×	2	3	5	7
5	10		25	

×	1	3	4	6
4		12		24

×	1	2	4	5
8				

×	4	6	8	9
5				

×	2	3	5	7
4				

×	3	5	6	8
8				

×	4	6	7	9
8				

×	4	6	8	9
4				

3주차 7, 9의 단

그림을 보고 **7**의 단 곱셈구구를 완성해 보세요.

$$7 \times 1 = 7$$

$+7$

$$7 \times 2 = 14$$

$+7$

$$7 \times \boxed{} = \boxed{}$$

$+7$

7×2를 2번 더하면 7×4입니다.

$$7 \times 4 = \boxed{}$$

$+7$

$$7 \times 5 = 35$$

$+7$

$$7 \times \boxed{} = \boxed{}$$

$+7$

$$7 \times \boxed{} = 49$$

$+7$

$$7 \times 8 = \boxed{}$$

$+7$

$$7 \times 9 = \boxed{}$$

■ 곱셈구구의 값을 찾아 이어 보세요.

7 × 1 ·   · 21

7 × 4 ·   · 28

7 × 3 ·   · 7

---

7 × 5 ·   · 49

7 × 7 ·   · 14

7 × 2 ·   · 35

---

7 × 9 ·   · 56

7 × 6 ·   · 63

7 × 8 ·   · 42

그림을 보고 9의 단 곱셈구구를 완성해 보세요.

9 × 1 = 9

$\Big)$ +9

9 × 2 = ☐

$\Big)$ +9

9×2에서 9×1을 더하면 9×3입니다.

9 × 3 = ☐

$\Big)$ +9

9 × ☐ = 36

$\Big)$ +9

9 × ☐ = ☐

$\Big)$ +9

9 × 6 = ☐

$\Big)$ +9

9 × 7 = 63

$\Big)$ +9

9 × ☐ = 72

$\Big)$ +9

9 × 9 = ☐

곱셈구구의 값을 찾아 ◯표 하세요.

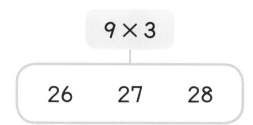

9 × 3

26   27   28

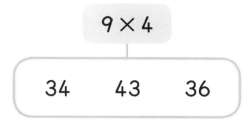

9 × 4

34   43   36

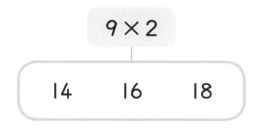

9 × 2

14   16   18

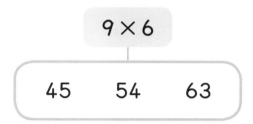

9 × 6

45   54   63

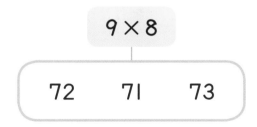

9 × 8

72   71   73

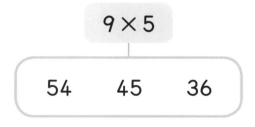

9 × 5

54   45   36

9 × 9

80   81   90

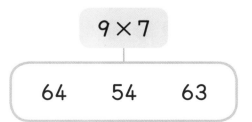

9 × 7

64   54   63

🔹 여러 가지 방법으로 구슬의 수를 구해 보세요.

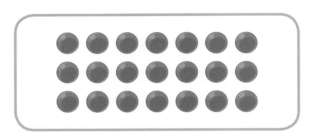

7 × ☐ 의 곱으로 구합니다.

7 × 2와 7 × ☐ 을/를 더합니다.

7 × 1과 7 × ☐ 을/를 더합니다.

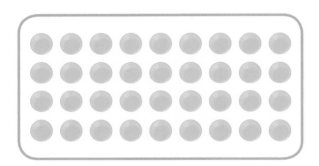

9 × ☐ 의 곱으로 구합니다.

9 × 3과 9 × ☐ 을/를 더합니다.

9 × 2를 ☐ 번 더합니다.

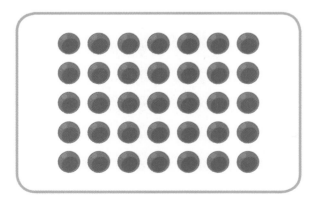

7 × ☐ 의 곱으로 구합니다.

7 × 4와 7 × ☐ 을/를 더합니다.

7 × 2와 7 × ☐ 을/를 더합니다.

곱셈을 계산하는 여러 가지 방법입니다. 알맞은 말에 ◯표 하세요.

9 × 5

9 × I을 (5 , 9)번 더합니다.

9 × I과 (9 × 4 , 9 × 5)를 더합니다.

9 × 3과 (9 × I , 9 × 2)을/를 더합니다.

7 × 6

7 × 3을 (2 , 3)번 더합니다.

7 × 2와 (7 × 3 , 7 × 4)을/를 더합니다.

7 × 5와 (7 × I , 7 × 2)을/를 더합니다.

9 × 9

9 × 3을 (2 , 3)번 더합니다.

9 × 5와 (9 × 4 , 9 × 5)를 더합니다.

9 × 7과 (9 × I , 9 × 2)을/를 더합니다.

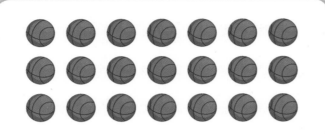

여러 가지 곱셈구구로 나타내어 보세요.

$7 \times 3 = 21$

$\square \times \square = \square$

곱셈구구의 두 수를 바꾸어 곱해도 결과는 같습니다.

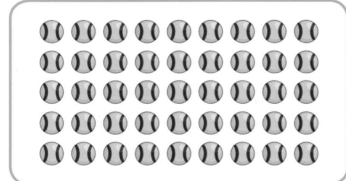

$\square \times \square = \square$

$\square \times \square = \square$

$\square \times \square = \square$

$\square \times \square = \square$

여러 가지 곱셈구구로 나타내어 보세요.

$\boxed{} \times \boxed{} = \boxed{}$　　　$\boxed{} \times \boxed{} = \boxed{}$

$\boxed{} \times \boxed{} = \boxed{}$　　　$\boxed{} \times \boxed{} = \boxed{}$

$\boxed{} \times \boxed{} = \boxed{}$　　　$\boxed{} \times \boxed{} = \boxed{}$

$\boxed{} \times \boxed{} = \boxed{}$

1의 단과 0의 곱

그림을 보고 1의 단 곱셈구구를 완성해 보세요.

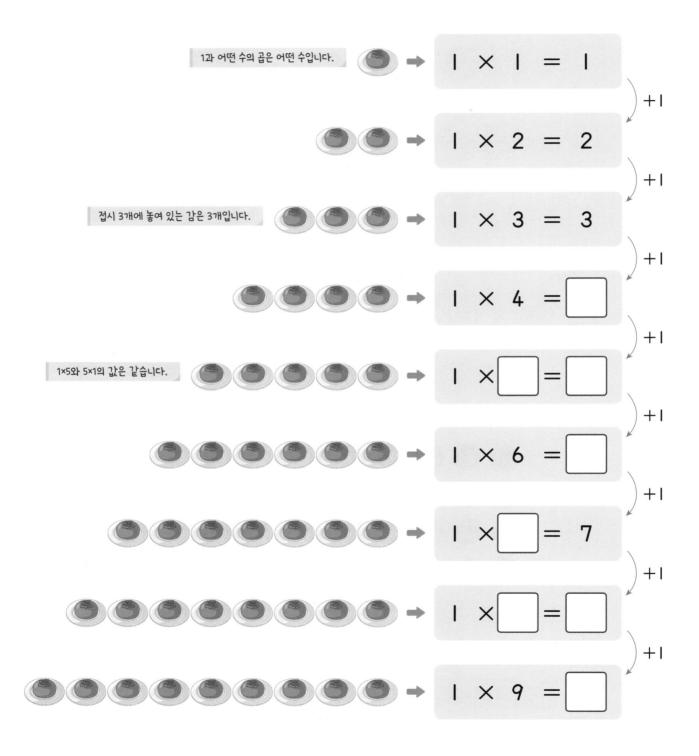

1과 어떤 수의 곱은 어떤 수입니다.

$$1 \times 1 = 1$$

$+1$

$$1 \times 2 = 2$$

$+1$

접시 3개에 놓여 있는 감은 3개입니다.

$$1 \times 3 = 3$$

$+1$

$$1 \times 4 = \boxed{}$$

$+1$

1×5와 5×1의 값은 같습니다.

$$1 \times \boxed{} = \boxed{}$$

$+1$

$$1 \times 6 = \boxed{}$$

$+1$

$$1 \times \boxed{} = 7$$

$+1$

$$1 \times \boxed{} = \boxed{}$$

$+1$

$$1 \times 9 = \boxed{}$$

과녁에 맞힌 점수를 구해 0의 곱을 알아보세요.

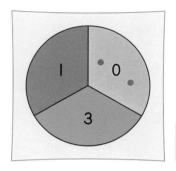

0점 과녁을 2번 맞혀도 0점입니다.

$0 \times 2 = \boxed{0}$

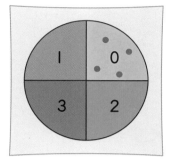

0과 어떤 수의 곱은 0입니다.

$0 \times 4 = \boxed{}$

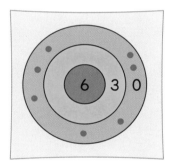

$0 \times \boxed{} = \boxed{}$

3점 과녁을 한 번도 못 맞혔으므로 0점입니다.

$3 \times 0 = \boxed{0}$

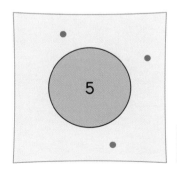

어떤 수와 0의 곱은 0입니다.

$5 \times 0 = \boxed{}$

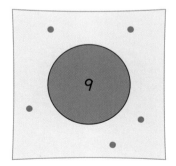

$9 \times \boxed{} = \boxed{}$

빈칸에 알맞은 수를 써넣으세요.

$1 \times 1 = \boxed{}$

$1 \times \boxed{} = 3$

$0 \times 9 = \boxed{}$

$\boxed{} \times 6 = 0$

$1 \times 7 = \boxed{}$

$5 \times \boxed{} = 0$

$0 \times 4 = \boxed{}$

$\boxed{} \times 8 = 8$

$6 \times 0 = \boxed{}$

$2 \times \boxed{} = 2$

$5 \times 1 = \boxed{}$

$\boxed{} \times 7 = 0$

$8 \times 0 = \boxed{}$

$1 \times \boxed{} = 4$

4주차 곱셈구구

0부터 9까지의 곱

■ 빈칸에 알맞은 수를 써넣으세요.

×	1	2	3	4	5	6	7	8	9
0		0			0				

×	1	2	3	4	5	6	7	8	9
1			3				7		

×	1	2	3	4	5	6	7	8	9
2	2				10				

×	1	2	3	4	5	6	7	8	9
3				12				24	

×	1	2	3	4	5	6	7	8	9
4		8			20				

빈칸에 알맞은 수를 써넣으세요.

×	1	2	3	4	5	6	7	8	9
5			15			30			

×	1	2	3	4	5	6	7	8	9
6	6			24					

×	1	2	3	4	5	6	7	8	9
7			21			42			

×	1	2	3	4	5	6	7	8	9
8				32					

×	1	2	3	4	5	6	7	8	9
9					45				

곱셈표 (1)

🔷 곱셈표를 완성해 보세요.

×	0	1	2	3	4	5	6	7	8	9
0	0	0	0	0	0	0	0	0		
1	0	1	2	3	4	5	6			
2	0	2	4	6	8	10				18
3	0	3	6	9	12				24	
4	0	4	8	12				28		
5	0	5	10				30			
6	0	6				30				
7	0			28						
8				24						
9			18							

★ 곱셈구구

2×1=2   5×1=5
2×2=4   5×2=10
2×3=6   5×3=15
...   ...

➡ ★의 단 곱셈구구에서는 곱이 ★씩 커집니다.

3×7=7×3=21
5×6=6×5=30

➡ 곱하는 두 수의 순서를 바꾸어도 곱이 같습니다.

빈칸에 알맞은 수를 써넣으세요.

3의 단 곱셈구구는

곱이 3 씩 커집니다.

7씩 커지는 곱셈구구는

□의 단입니다.

8×7과 곱이 같은 곱셈구구는

□×□입니다.

3×9와 곱이 같은 곱셈구구는

□×□입니다.

6의 단에서 곱이 18인

곱셈구구는 6×□입니다.

9의 단에서 곱이 18인

곱셈구구는 □×□입니다.

곱이 16인 곱셈구구는

□×□, □×□,

□×□입니다.

곱이 모두 짝수인 곱셈구구는

□의 단, □의 단,

□의 단, □의 단입니다.

곱셈표 (2)

🟦 빈칸에 알맞은 수를 써넣어 곱셈표를 완성해 보세요.

×	1	2	3
2	2		
3		6	
4		8	

×	4	5	6
5		25	
6			36
7	28		

×	7	8	9
7			
8			
9			

×	2	4	6
2			
6			
8			

×	4	6	9
1			
5			
7			

×	3	5	8
3			
4			
9			

곱셈표를 완성하고 빈칸에 알맞은 수를 써넣으세요.

×	3	4	6	8	9
3	9				
4				32	36
6				48	
8	24				72
9	27		54		

6×8과 곱이 같은 곱셈구구는

□ × □ 입니다.

4×8과 곱이 같은 곱셈구구는

□ × □ 입니다.

4×9와 곱이 같은 곱셈구구는

□ × □ , □ × □

입니다.

8×3과 곱이 같은 곱셈구구는

□ × □ , □ × □ ,

□ × □ 입니다.

🔷 빈칸에 알맞은 수를 써넣으세요.

$2 \times 6 =$ ☐ $6 \times 5 =$ ☐

$5 \times 3 =$ ☐ $8 \times 7 =$ ☐

$7 \times 7 =$ ☐ $3 \times 8 =$ ☐

$4 \times 5 =$ ☐ $9 \times 2 =$ ☐

$6 \times 9 =$ ☐ $5 \times 8 =$ ☐

$8 \times 8 =$ ☐ $7 \times 4 =$ ☐

$9 \times 6 =$ ☐ $4 \times 8 =$ ☐

■ 빈 곳에 알맞은 수를 써넣으세요.

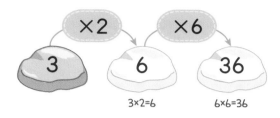

3×2=6   6×6=36

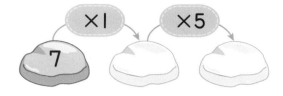

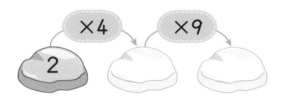

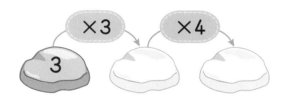

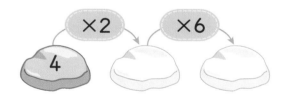

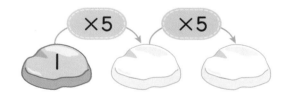

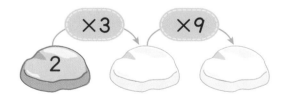

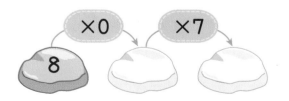

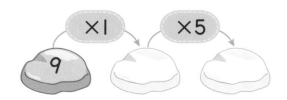

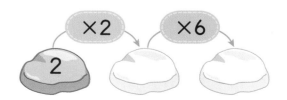

□가 있는 곱셈

📓 빈칸에 알맞은 수를 써넣으세요.

$7 \times \boxed{} = 28$

$\boxed{} \times 3 = 12$

$3 \times \boxed{} = 15$

$\boxed{} \times 2 = 18$

$5 \times \boxed{} = 40$

$\boxed{} \times 9 = 54$

$9 \times \boxed{} = 27$

$\boxed{} \times 5 = 35$

$8 \times \boxed{} = 64$

$\boxed{} \times 4 = 16$

$4 \times \boxed{} = 20$

$\boxed{} \times 8 = 56$

$6 \times \boxed{} = 36$

$\boxed{} \times 7 = 63$

📖 빈칸에 알맞은 수를 써넣으세요.

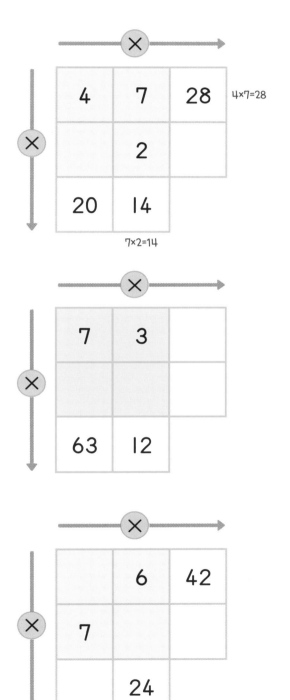

4×7=28

7×2=14

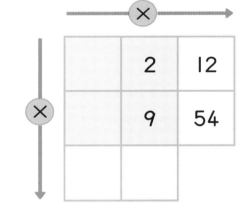

📖 설명에 맞는 수를 구해 보세요.

- 5×7보다 크고 6×7보다 작습니다.
- 8의 단 곱셈구구에 나오는 수입니다.

(   )

- 2의 단 곱셈구구에 나오는 수입니다.
- 3×5보다 큽니다.
- 4의 단 곱셈구구에도 나오는 수입니다.

(   )

- 7의 단 곱셈구구에 나오는 수입니다.
- 6×5보다 작습니다.
- 3×8보다 큽니다.

(   )

- 4의 단 곱셈구구에 나오는 수입니다.
- 6의 단 곱셈구구에도 나오는 수입니다.
- 9의 단 곱셈구구에도 나오는 수입니다.

(   )

5주차 곱셈구구의 활용

수 카드 곱셈식

 수 카드를 한 번씩만 사용하여 곱셈식을 만들어 보세요.

| 1 | 6 | 8 |

$3 \times \boxed{6} = \boxed{1}\,\boxed{8}$

| 1 | 3 | 5 |

$5 \times \boxed{} = \boxed{}\,\boxed{}$

| 2 | 3 | 8 |

$4 \times \boxed{} = \boxed{}\,\boxed{}$

| 1 | 6 | 8 |

$2 \times \boxed{} = \boxed{}\,\boxed{}$

| 3 | 6 | 7 |

$9 \times \boxed{} = \boxed{}\,\boxed{}$

| 4 | 5 | 9 |

$6 \times \boxed{} = \boxed{}\,\boxed{}$

| 2 | 3 | 4 |

$8 \times \boxed{} = \boxed{}\,\boxed{}$

| 2 | 4 | 6 |

$7 \times \boxed{} = \boxed{}\,\boxed{}$

수 카드를 한 번씩만 사용하여 곱셈식을 만들어 보세요.

| 1 | 2 | 4 | 7 |

☐ × ☐ = ☐☐

| 1 | 2 | 3 | 4 |

☐ × ☐ = ☐☐

| 0 | 3 | 5 | 6 |

☐ × ☐ = ☐☐

| 1 | 2 | 3 | 7 |

☐ × ☐ = ☐☐

| 2 | 3 | 7 | 9 |

☐ × ☐ = ☐☐

| 1 | 4 | 4 | 6 |

☐ × ☐ = ☐☐

| 5 | 6 | 7 | 8 |

☐ × ☐ = ☐☐

| 3 | 4 | 6 | 9 |

☐ × ☐ = ☐☐

📘 물음에 답하세요.

사과가 한 상자에 5개씩 있습니다. 8상자에 들어 있는 사과는 모두 몇 개일까요?

식 ____5 × 8 = 40____   답 ___40___ 개

신지의 나이는 7살입니다. 신지 아버지의 나이는 신지 나이의 6배입니다. 신지 아버지는 몇 살일까요?

식 _____   답 _____ 살

문어의 다리는 8개입니다. 문어 7마리의 다리는 모두 몇 개일까요?

식 _____   답 _____ 개

빨간색 공을 뽑으면 3점, 파란색 공을 뽑으면 0점입니다. 민성이는 파란색 공을 5개 뽑았습니다. 민성이의 점수는 몇 점일까요?

식 _____   답 _____ 점

📖 물음에 답하세요.

색종이 한 장을 **2**조각씩 몇 장 잘랐더니 모두 **16**조각이 되었습니다. 색종이를 몇 장 잘랐을까요?

색종이를 2조각씩 몇 장 잘랐더니 16조각이 되었습니다.
2×□=16(조각)

( )

진우가 달걀을 매일 몇 개씩 **4**일 동안 먹었더니 진우가 먹은 달걀이 모두 **20**개입니다. 진우가 하루에 먹은 달걀은 몇 개일까요?

( )

학생들이 한 줄에 **9**명씩 **4**줄로 서 있습니다. 학생들이 한 줄에 **6**명씩 선다면 몇 줄이 될까요?

( )

한 상자에 **3**개씩 들어 있는 배가 **8**상자 있습니다. 이 배를 한 상자에 **4**개씩 담는다면 몇 상자가 될까요?

( )

물음에 답하세요.

두발자전거가 6대, 세발자전거가 2대 있습니다. 자전거 바퀴는 모두 몇 개일까요?

두발자전거의 바퀴 수: 2×6=12(개)
세발자전거의 바퀴 수: 3×2=6(개)
자전거 바퀴 수: 12+6=18(개)

(   )

돼지의 다리는 4개, 오리의 다리는 2개입니다. 농장에 돼지 7마리와 오리 9마리가 있습니다. 돼지와 오리의 다리 수는 모두 몇 개일까요?

(   )

민아는 종이에 삼각형 5개와 사각형 3개를 그렸습니다. 민아가 그린 도형의 변은 모두 몇 개일까요?

(   )

사과 2개, 귤 5개가 한 상자에 들어 있습니다. 6상자에 들어 있는 과일은 모두 몇 개일까요?

(   )

📖 물음에 답하세요.

준호의 나이는 9살입니다. 준호의 이모의 나이는 준호 나이의 5배보다 1살 적습니다. 준호의 이모는 몇 살일까요?

9×5=45, 45살보다 1살 더 적으므로
45-1=44(살)

(　　　　　)

진서는 색연필을 8자루 가지고 있습니다. 지후는 진서가 가진 색연필의 2배보다 3개 더 많이 가지고 있습니다. 지후가 가진 색연필은 몇 자루일까요?

(　　　　　)

40쪽짜리 동화책이 있습니다. 시유가 5일 동안 매일 7쪽씩 읽었습니다. 시유가 동화책을 모두 읽으려면 몇 쪽 더 읽어야 할까요?

(　　　　　)

버스 한 대에는 45명이 탈 수 있습니다. 한 줄에 6명씩 8줄로 서 있는 학생들이 버스에 타려고 합니다. 버스에 타지 못하는 학생은 몇 명일까요?

(　　　　　)

여러 가지 곱셈 방법

블록의 수를 구하는 여러 가지 방법입니다. 빈칸에 알맞은 수를 써넣으세요.

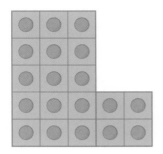

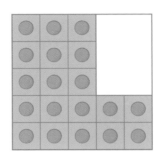

3 × 5에 2 × 2 을/를 더합니다.

3 × 3에 5 × ☐ 을/를 더합니다.

5 × 5에서 2 × ☐ 을/를 뺍니다.

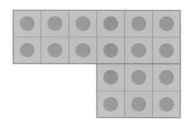

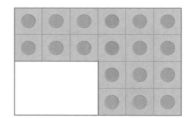

6 × 2에 ☐ × ☐ 을/를 더합니다.

3 × 2에 ☐ × ☐ 을/를 더합니다.

☐ × ☐ 에서 3 × 2를 뺍니다.

🟦 여러 가지 방법으로 블록의 수를 구해 보세요.

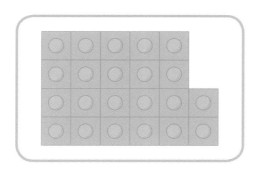

5 × 2에 ☐ × ☐ 을/를 더하면 ☐ 개입니다.

☐ × ☐ 에 1 × 2를 더하면 ☐ 개입니다.

☐ × ☐ 에서 1 × 2를 빼면 ☐ 개입니다.

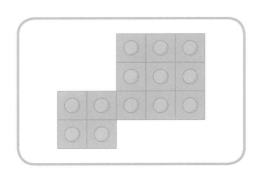

2 × ☐ 에 ☐ × ☐ 을/를 더하면 ☐ 개입니다.

☐ × ☐ 에 5 × 1를 더한 다음 ☐ × 1을 더하면 ☐ 개입니다.

점수 구하기

🏴 화살을 맞힌만큼 점수를 얻습니다. 표를 완성하고 점수를 구해 보세요.

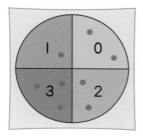

점수판의 수	0	1	2	3
맞힌 횟수(번)	2	3	0	1
점수(점)		1×3=3	2×0=0	

$$\boxed{0} + \boxed{3} + \boxed{0} + \boxed{3} = \boxed{} \text{(점)}$$

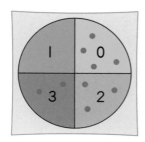

점수판의 수	0	1	2	3
맞힌 횟수(번)	2	1		
점수(점)	0×2=0			

$$\boxed{} + \boxed{} + \boxed{} + \boxed{} = \boxed{} \text{(점)}$$

점수판의 수	0	1	2	3
맞힌 횟수(번)				
점수(점)				

$$\boxed{} + \boxed{} + \boxed{} + \boxed{} = \boxed{} \text{(점)}$$

공 또는 주사위 눈의 수만큼 점수를 얻습니다. 표를 완성하고 점수를 구해 보세요.

공에 적힌 수	0	1	2	3
꺼낸 횟수(번)	3	4	0	1
점수(점)		1×4=4	2×0=0	

1이 적힌 공은 4번 꺼냈으므로
1×4=4(점)입니다.

얻은 점수 ( )점

공에 적힌 수	0	1	2	3	4
꺼낸 횟수(번)	2	3	4	0	1
점수(점)	0×2=0				

얻은 점수 ( )점

주사위 눈	·	··	···	····	·····	······
나온 횟수(번)	3	0	2	0	2	1
점수(점)	1×3=3					

얻은 점수 ( )점

물음에 답하세요.

> 공 꺼내기를 합니다. 0점짜리 공 2개, 1점짜리 공 3개, 2점짜리 공 1개, 3점짜리 공 0개를 꺼냈습니다. 꺼낸 공의 점수는 모두 몇 점일까요?

0점짜리 공 2개: 0×2=0(점)
1점짜리 공 3개: 1×3=3(점)
2점짜리 공 1개: 2×1=2(점)
3점짜리 공 0개: 3×0=0(점)

(   )

> 민호가 화살을 10번 쏘았습니다. 0점에 4번, 1점에 2번, 2점에 0번, 3점에 4번 맞혔습니다. 민호가 얻은 점수는 모두 몇 점일까요?

(   )

> 축구 경기를 하여 이기면 3점, 비기면 1점, 지면 0점을 얻습니다. 이긴 팀이 5팀, 비긴 팀이 2팀, 진 팀이 5팀입니다. 12팀이 얻은 점수는 모두 몇 점일까요?

(   )

> 주사위를 굴려 나온 수만큼 점수를 얻습니다. 1이 3번, 2가 1번, 3이 0번, 4가 4번, 5가 0번, 6이 3번 나왔습니다. 주사위를 굴려 나온 점수는 모두 몇 점일까요?

(   )

66   교과연산 B3

정답

8·9쪽

51 2의 단

월 일

■ 그림을 보고 2의 단 곱셈구구를 완성해 보세요.

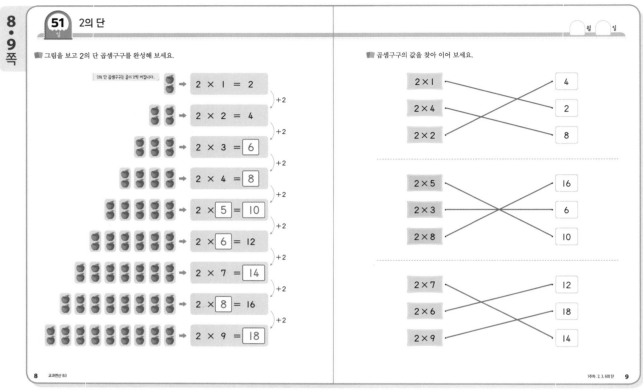

2의 단 곱셈구구는 곱이 2씩 커집니다.

$2 \times 1 = 2$
$2 \times 2 = 4$ +2
$2 \times 3 = 6$ +2
$2 \times 4 = 8$ +2
$2 \times 5 = 10$ +2
$2 \times 6 = 12$ +2
$2 \times 7 = 14$ +2
$2 \times 8 = 16$ +2
$2 \times 9 = 18$ +2

■ 곱셈구구의 값을 찾아 이어 보세요.

2×1 → 2
2×4 → 8
2×2 → 4

2×5 → 10
2×3 → 6
2×8 → 16

2×7 → 14
2×6 → 12
2×9 → 18

8 교과연산 B3

1주차. 2, 3, 6의 단 9

10·11쪽

52 3의 단

월 일

■ 그림을 보고 3의 단 곱셈구구를 완성해 보세요.

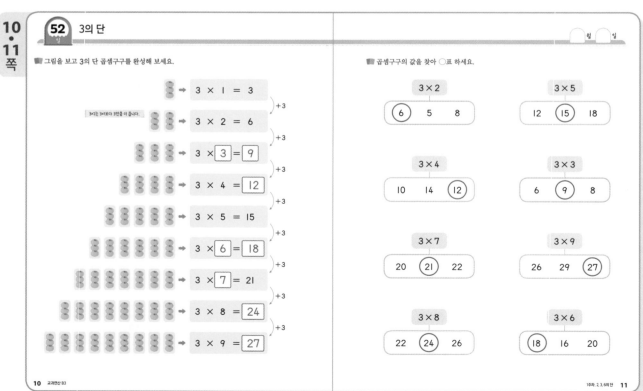

$3 \times 1 = 3$
+3
3의 단은 3×1보다 3만큼 더 큽니다.
$3 \times 2 = 6$ +3
$3 \times 3 = 9$ +3
$3 \times 4 = 12$ +3
$3 \times 5 = 15$ +3
$3 \times 6 = 18$ +3
$3 \times 7 = 21$ +3
$3 \times 8 = 24$ +3
$3 \times 9 = 27$

■ 곱셈구구의 값을 찾아 ○표 하세요.

3×2
⑥ 5 8

3×5
12 ⑮ 18

3×4
10 14 ⑫

3×3
6 ⑨ 8

3×7
20 ㉑ 22

3×9
26 29 ㉗

3×8
22 ㉔ 26

3×6
⑱ 16 20

10 교과연산 B3

1주차. 2, 3, 6의 단 11

53일 6의 단

🖈 그림을 보고 6의 단 곱셈구구를 완성해 보세요.

🖈 알맞게 이어 보세요.

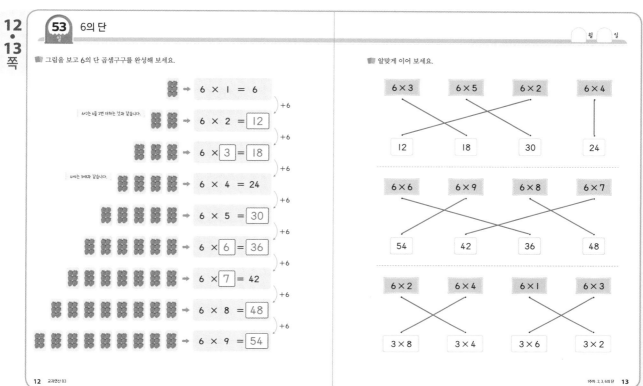

54일 곱셈식으로 나타내기

🖈 물음에 답하세요.

🖈 물음에 답하세요.

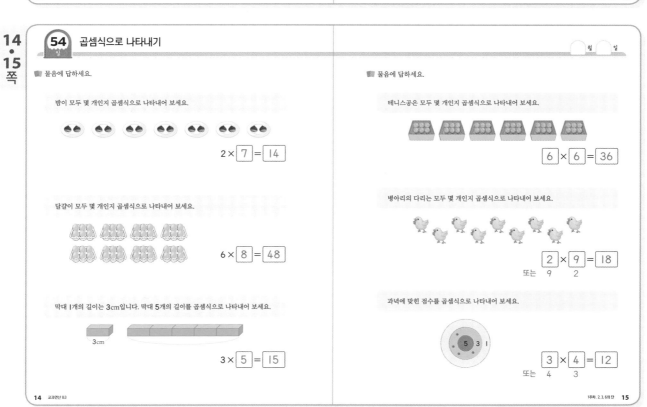

16·17쪽

55 여러 가지 곱셈 방법

■ 빈칸에 알맞은 수를 써넣으세요.

2+2+2+2+2는 2× 5 와/과 같습니다.

2×5는 2×4보다 2 만큼 더 큽니다.

2×4는 2×5보다 2 만큼 더 작습니다.

3+3+3+3+3+3은 3× 6 와/과 같습니다.

3×6은 3×5보다 3 만큼 더 큽니다.

3×5는 3×6보다 3 만큼 더 작습니다.

■ 알맞은 말에 ○표 하세요.

6×4는 6을 (3 ④)번 더하는 것과 같습니다.

6×3에 (3 ⑥)을 더하면 6×4입니다.

6×2를 (② 3)번 더하면 6×4입니다.

3×7은 3을 (6 ⑦)번 더하는 것과 같습니다.

3×6에 (③ 6)을 더하면 3×7입니다.

3×5에 (③×2 3×3)을/를 더하면 3×7입니다.

18쪽

■ 곱셈을 이용하여 빈칸에 알맞은 수를 써넣으세요.

56 5의 단

📖 그림을 보고 5의 단 곱셈구구를 완성해 보세요.

5의 단 곱셈구구는 곱이 5씩 커집니다.

→ 5 × 1 = 5
) +5
→ 5 × 2 = 10
) +5
→ 5 × 3 = 15
) +5
→ 5 × 4 = 20
) +5
→ 5 × 5 = 25
) +5
→ 5 × 6 = 30
) +5
→ 5 × 7 = 35
) +5
→ 5 × 8 = 40
) +5
→ 5 × 9 = 45

📖 곱셈구구의 값을 찾아 이어 보세요.

5×2 — 10
5×3 — 15
5×1 — 5

5×5 — 25
5×4 — 20
5×6 — 30

5×8 — 40
5×9 — 35
5×7 — 45

57 4의 단

📖 그림을 보고 4의 단 곱셈구구를 완성해 보세요.

→ 4 × 1 = 4
) +4
→ 4 × 2 = 8
) +4

4×2에 4씩 더하면 4×3입니다.

→ 4 × 3 = 12
) +4
→ 4 × 4 = 16
) +4
→ 4 × 5 = 20
) +4
→ 4 × 6 = 24
) +4
→ 4 × 7 = 28
) +4
→ 4 × 8 = 32
) +4
→ 4 × 9 = 36

📖 곱셈구구의 값을 찾아 ◯표 하세요.

4 × 3
10 (12) 8

4 × 2
6 (8) 10

4 × 4
12 14 (16)

4 × 6
(24) 26 28

4 × 7
27 (28) 30

4 × 8
(32) 34 30

4 × 5
(20) 24 25

4 × 9
35 (36) 38

24·25쪽

58 8의 단

월 일

■ 그림을 보고 8의 단 곱셈구구를 완성해 보세요.

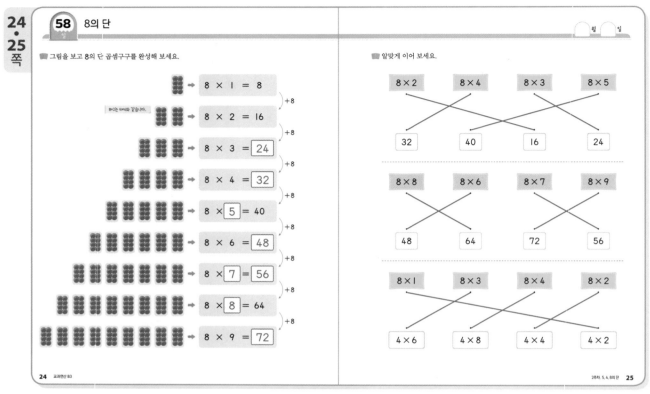

8 × 1 = 8

8×2는 8씩 2번입니다.   8 × 2 = 16

8 × 3 = 24

8 × 4 = 32

8 × 5 = 40

8 × 6 = 48

8 × 7 = 56

8 × 8 = 64

8 × 9 = 72

■ 알맞게 이어 보세요.

| 8×2 | 8×4 | 8×3 | 8×5 |

| 32 | 40 | 16 | 24 |

| 8×8 | 8×6 | 8×7 | 8×9 |

| 48 | 64 | 72 | 56 |

| 8×1 | 8×3 | 8×4 | 8×2 |

| 4×6 | 4×8 | 4×4 | 4×2 |

26·27쪽

59 곱셈식으로 나타내기

월 일

■ 물음에 답하세요.

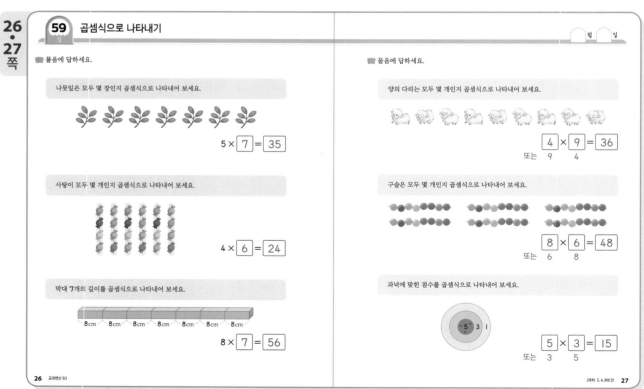

나뭇잎은 모두 몇 장인지 곱셈식으로 나타내어 보세요.

$5 \times \boxed{7} = \boxed{35}$

사탕이 모두 몇 개인지 곱셈식으로 나타내어 보세요.

$4 \times \boxed{6} = \boxed{24}$

막대 7개의 길이를 곱셈식으로 나타내어 보세요.

8cm 8cm 8cm 8cm 8cm 8cm 8cm

$8 \times \boxed{7} = \boxed{56}$

■ 물음에 답하세요.

양의 다리는 모두 몇 개인지 곱셈식으로 나타내어 보세요.

$\boxed{4} \times \boxed{9} = \boxed{36}$
또는 9   4

구슬은 모두 몇 개인지 곱셈식으로 나타내어 보세요.

$\boxed{8} \times \boxed{6} = \boxed{48}$
또는 6   8

과녁에 맞힌 점수를 곱셈식으로 나타내어 보세요.

5 3 1

$\boxed{5} \times \boxed{3} = \boxed{15}$
또는 3   5

28·29쪽

월 일

■ 여러 가지 방법으로 쌓기나무의 수를 구해 보세요.

5를 6 번 더합니다.

5 × 6 의 곱으로 구합니다.

5 × 5에 5 을/를 더합니다.

4를 5 번 더합니다.

4 × 5 의 곱으로 구합니다.

4 × 4에 4 을/를 더합니다.

8을 4 번 더합니다.

8 × 4 의 곱으로 구합니다.

8 × 3 에 8을 더합니다.

■ 알맞은 말에 ◯표 하세요.

4×3   4×3   4×3

4×5   4×4

4 × 9는 4 × 8에 (4, 8)을/를 더해서 구합니다.

4 × 9는 4 × 3을 (2, ③)번 더해서 구합니다.

4 × 9는 4 × 5에 (④×④, 4 × 3)을/를 더해서 구합니다.

8×3   8×3

8×4   8×2

8 × 6은 8 × 5에 (6, ⑧)을 더해서 구합니다.

8 × 6은 8 × 3을 (②, 3)번 더해서 구합니다.

8 × 6은 8 × 4에 (⑧×②, 8 × 4)를 더해서 구합니다.

30쪽

■ 빈칸에 알맞은 수를 써넣으세요.

×	2	3	5	7
5	10	15	25	35

×	1	3	4	6
4	4	12	16	24

×	1	2	4	5
8	8	16	32	40

×	4	6	8	9
5	20	30	40	45

×	2	3	5	7
4	8	12	20	28

×	3	5	6	8
8	24	40	48	64

×	4	6	7	9
8	32	48	56	72

×	4	6	8	9
4	16	24	32	36

32·33쪽

61 7의 단

☞ 그림을 보고 7의 단 곱셈구구를 완성해 보세요.

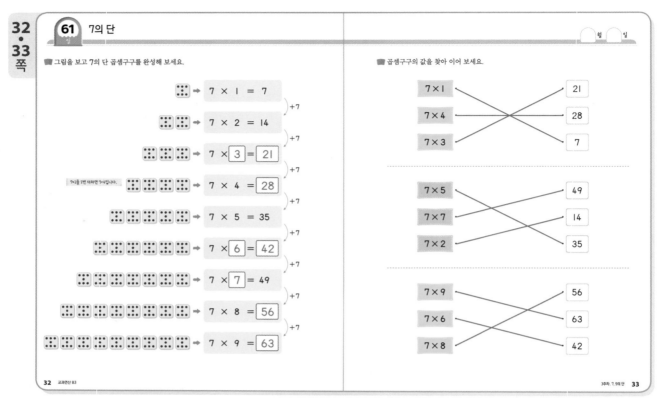

$7 \times 1 = 7$
$7 \times 2 = 14$
$7 \times 3 = 21$
$7 \times 4 = 28$
$7 \times 5 = 35$
$7 \times 6 = 42$
$7 \times 7 = 49$
$7 \times 8 = 56$
$7 \times 9 = 63$

☞ 곱셈구구의 값을 찾아 이어 보세요.

7×1	21
7×4	28
7×3	7

7×5	49
7×7	14
7×2	35

7×9	56
7×6	63
7×8	42

34·35쪽

62 9의 단

☞ 그림을 보고 9의 단 곱셈구구를 완성해 보세요.

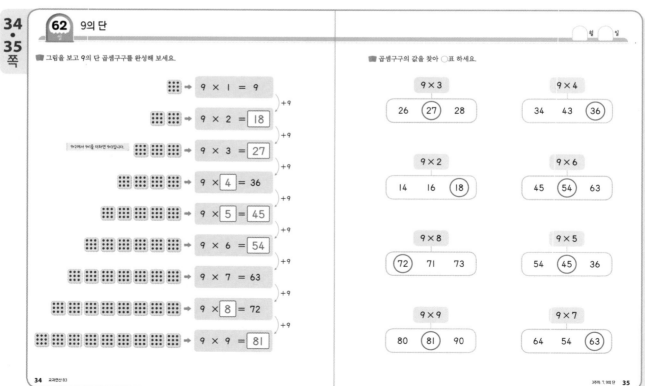

$9 \times 1 = 9$
$9 \times 2 = 18$
$9 \times 3 = 27$
$9 \times 4 = 36$
$9 \times 5 = 45$
$9 \times 6 = 54$
$9 \times 7 = 63$
$9 \times 8 = 72$
$9 \times 9 = 81$

☞ 곱셈구구의 값을 찾아 ○표 하세요.

9×3
26　(27)　28

9×4
34　43　(36)

9×2
14　16　(18)

9×6
45　(54)　63

9×8
(72)　71　73

9×5
54　(45)　36

9×9
80　(81)　90

9×7
64　54　(63)

63 여러 가지 곱셈 방법

월 일

여러 가지 방법으로 구슬의 수를 구해 보세요.

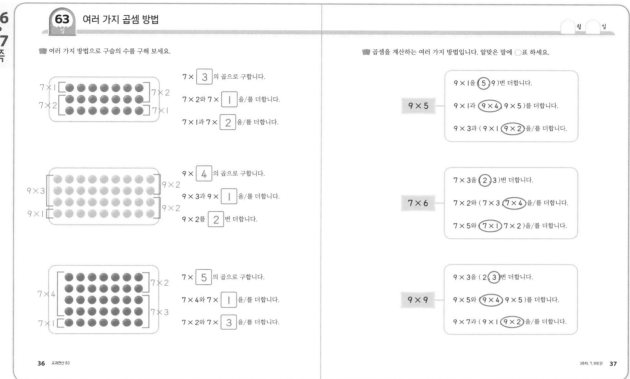

곱셈을 계산하는 여러 가지 방법입니다. 알맞은 말에 ◯표 하세요.

64 여러 가지 곱셈식

월 일

여러 가지 곱셈구구로 나타내어 보세요.

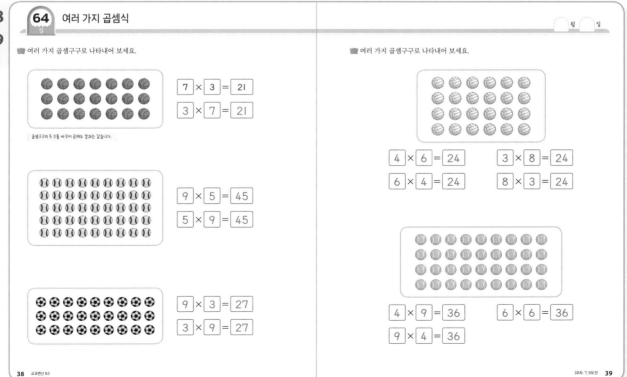

여러 가지 곱셈구구로 나타내어 보세요.

40·41쪽

65 1의 단과 0의 곱

📖 그림을 보고 1의 단 곱셈구구를 완성해 보세요.

1과 어떤 수의 곱은 어떤 수입니다. → $1 \times 1 = 1$

→ $1 \times 2 = 2$ ⎫ +1

접시 3개에 놓여 있는 같은 3개입니다. → $1 \times 3 = 3$ ⎫ +1

→ $1 \times 4 = \boxed{4}$ ⎫ +1

1×5와 5×1의 곱은 같습니다. → $1 \times 5 = \boxed{5}$ ⎫ +1

→ $1 \times 6 = \boxed{6}$ ⎫ +1

→ $1 \times \boxed{7} = 7$ ⎫ +1

→ $1 \times 8 = \boxed{8}$ ⎫ +1

→ $1 \times 9 = \boxed{9}$

📖 과녁에 맞힌 점수를 구해 0의 곱을 알아보세요.

 0점 과녁을 2번 맞혀도 0점입니다.

$0 \times 2 = \boxed{0}$

 0과 어떤 수의 곱은 0입니다.

$0 \times 4 = \boxed{0}$

$0 \times \boxed{7} = \boxed{0}$

 3점 과녁을 한 번도 못 맞혔으므로 0점입니다.

$3 \times 0 = \boxed{0}$

 어떤 수와 0의 곱은 0입니다.

$5 \times 0 = \boxed{0}$

$9 \times \boxed{0} = \boxed{0}$

42쪽

📖 빈칸에 알맞은 수를 써넣으세요.

$1 \times 1 = \boxed{1}$　　　　$1 \times \boxed{3} = 3$

$0 \times 9 = \boxed{0}$　　　　$\boxed{0} \times 6 = 0$

$1 \times 7 = \boxed{7}$　　　　$5 \times \boxed{0} = 0$

$0 \times 4 = \boxed{0}$　　　　$\boxed{1} \times 8 = 8$

$6 \times 0 = \boxed{0}$　　　　$2 \times \boxed{1} = 2$

$5 \times 1 = \boxed{5}$　　　　$\boxed{0} \times 7 = 0$

$8 \times 0 = \boxed{0}$　　　　$1 \times \boxed{4} = 4$

66 0부터 9까지의 곱

📖 빈칸에 알맞은 수를 써넣으세요.

×	1	2	3	4	5	6	7	8	9
0	0	0	0	0	0	0	0	0	0

×	1	2	3	4	5	6	7	8	9
1	1	2	3	4	5	6	7	8	9

×	1	2	3	4	5	6	7	8	9
2	2	4	6	8	10	12	14	16	18

×	1	2	3	4	5	6	7	8	9
3	3	6	9	12	15	18	21	24	27

×	1	2	3	4	5	6	7	8	9
4	4	8	12	16	20	24	28	32	36

📖 빈칸에 알맞은 수를 써넣으세요.

×	1	2	3	4	5	6	7	8	9
5	5	10	15	20	25	30	35	40	45

×	1	2	3	4	5	6	7	8	9
6	6	12	18	24	30	36	42	48	54

×	1	2	3	4	5	6	7	8	9
7	7	14	21	28	35	42	49	56	63

×	1	2	3	4	5	6	7	8	9
8	8	16	24	32	40	48	56	64	72

×	1	2	3	4	5	6	7	8	9
9	9	18	27	36	45	54	63	72	81

67 곱셈표 (1)

📖 곱셈표를 완성해 보세요.

×	0	1	2	3	4	5	6	7	8	9
0	0	0	0	0	0	0	0	0	0	0
1	0	1	2	3	4	5	6	7	8	9
2	0	2	4	6	8	10	12	14	16	18
3	0	3	6	9	12	15	18	21	24	27
4	0	4	8	12	16	20	24	28	32	36
5	0	5	10	15	20	25	30	35	40	45
6	0	6	12	18	24	30	36	42	48	54
7	0	7	14	21	28	35	42	49	56	63
8	0	8	16	24	32	40	48	56	64	72
9	0	9	18	27	36	45	54	63	72	81

★ 곱셈구구

2×1=2   5×1=5
2×2=4   5×2=10
2×3=6   5×3=15
...   ...

★의 단 곱셈구구에서는 곱이 ★씩 커집니다.

3×7=7×3=21
5×6=6×5=30

곱하는 두 수의 순서를 바꾸어도 곱이 같습니다.

📖 빈칸에 알맞은 수를 써넣으세요.

3의 단 곱셈구구는 곱이 **3** 씩 커집니다.

7씩 커지는 곱셈구구는 **7** 의 단입니다.

8×7과 곱이 같은 곱셈구구는 **7** × **8** 입니다.

3×9와 곱이 같은 곱셈구구는 **9** × **3** 입니다.

6의 단에서 곱이 18인 곱셈구구는 6× **3** 입니다.

9의 단에서 곱이 18인 곱셈구구는 **9** × **2** 입니다.

곱이 16인 곱셈구구는 **2** × **8** , **4** × **4** , **8** × **2** 입니다.

곱이 모두 짝수인 곱셈구구는 **2** 의 단, **4** 의 단, **6** 의 단, **8** 의 단입니다.

정답

48 · 49 쪽

68 곱셈표 (2)

■ 빈칸에 알맞은 수를 써넣어 곱셈표를 완성해 보세요.

×	1	2	3
2	2	4	6
3	3	6	9
4	4	8	12

×	4	5	6
5	20	25	30
6	24	30	36
7	28	35	42

×	7	8	9
7	49	56	63
8	56	64	72
9	63	72	81

×	2	4	6
2	4	8	12
6	12	24	36
8	16	32	48

×	4	6	9
1	4	6	9
5	20	30	45
7	28	42	63

×	3	5	8
3	9	15	24
4	12	20	32
9	27	45	72

■ 곱셈표를 완성하고 빈칸에 알맞은 수를 써넣으세요.

×	3	4	6	8	9
3	9	12	18	24	27
4	12	16	24	32	36
6	18	24	36	48	54
8	24	32	48	64	72
9	27	36	54	72	81

6×8과 곱이 같은 곱셈구구는 8 × 6 입니다.

4×8과 곱이 같은 곱셈구구는 8 × 4 입니다.

4×9와 곱이 같은 곱셈구구는 6 × 6 , 9 × 4 입니다.

8×3과 곱이 같은 곱셈구구는 3 × 8 , 4 × 6 , 6 × 4 입니다.

48 교과연산 B3

4주차 곱셈구구 49

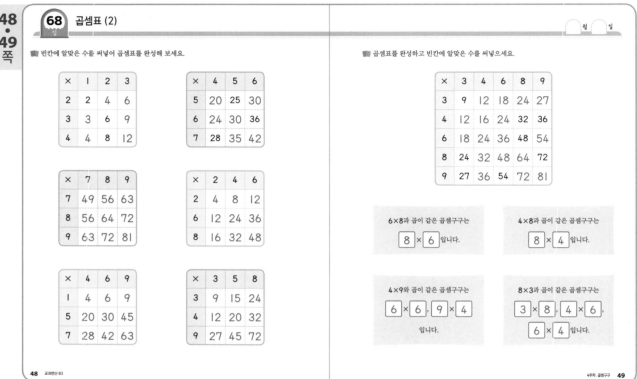

---

50 · 51 쪽

69 곱셈하기

■ 빈칸에 알맞은 수를 써넣으세요.

$2 \times 6 = 12$ $6 \times 5 = 30$

$5 \times 3 = 15$ $8 \times 7 = 56$

$7 \times 7 = 49$ $3 \times 8 = 24$

$4 \times 5 = 20$ $9 \times 2 = 18$

$6 \times 9 = 54$ $5 \times 8 = 40$

$8 \times 8 = 64$ $7 \times 4 = 28$

$9 \times 6 = 54$ $4 \times 8 = 32$

■ 빈 곳에 알맞은 수를 써넣으세요.

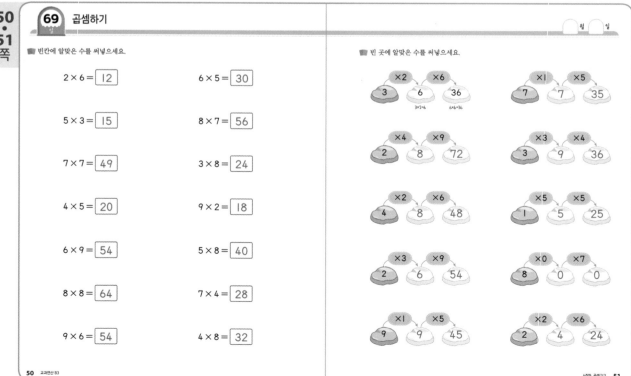

50 교과연산 B3

4주차 곱셈구구 51

12 교과연산 B3

70 □가 있는 곱셈

📖 빈칸에 알맞은 수를 써넣으세요.

$7 \times \boxed{4} = 28$ $\boxed{4} \times 3 = 12$

$3 \times \boxed{5} = 15$ $\boxed{9} \times 2 = 18$

$5 \times \boxed{8} = 40$ $\boxed{6} \times 9 = 54$

$9 \times \boxed{3} = 27$ $\boxed{7} \times 5 = 35$

$8 \times \boxed{8} = 64$ $\boxed{4} \times 4 = 16$

$4 \times \boxed{5} = 20$ $\boxed{7} \times 8 = 56$

$6 \times \boxed{6} = 36$ $\boxed{9} \times 7 = 63$

📖 빈칸에 알맞은 수를 써넣으세요.

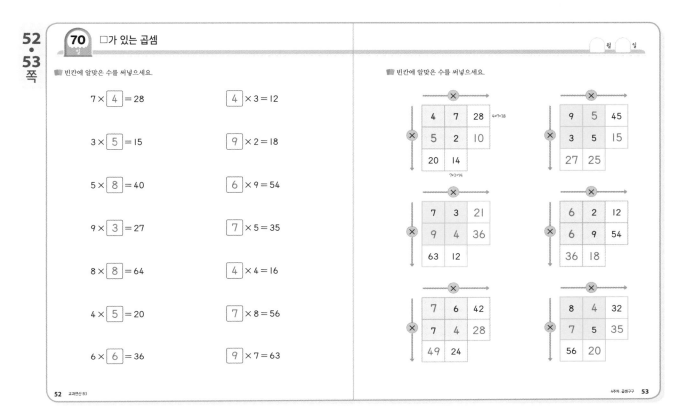

📖 설명에 맞는 수를 구해 보세요.

• 5×7보다 크고 6×7보다 작습니다.
• 8의 단 곱셈구구에 나오는 수입니다.

(40   )

8   16   24   32   ㉔40㉕   48   …

• 2의 단 곱셈구구에 나오는 수입니다.
• 3×5보다 큽니다.
• 4의 단 곱셈구구에도 나오는 수입니다.

(16   )

2   4   6   8   10   12   14   ⑯16⑰   18

• 7의 단 곱셈구구에 나오는 수입니다.
• 6×5보다 작습니다.
• 3×8보다 큽니다.

(28   )

7   14   21   ㉘28㉙   35   …

• 4의 단 곱셈구구에 나오는 수입니다.
• 6의 단 곱셈구구에도 나오는 수입니다.
• 9의 단 곱셈구구에도 나오는 수입니다.

(36   )

4   8   12   16   20   24   28   32   ㊱36㊲

56·57쪽

71일 수 카드 곱셈식

🃏 수 카드를 한 번씩만 사용하여 곱셈식을 만들어 보세요.

| 1 | 6 | 8 |

$3 \times 6 = 18$

| 1 | 3 | 5 |

$5 \times 3 = 15$

| 2 | 3 | 8 |

$4 \times 8 = 32$

| 1 | 6 | 8 |

$2 \times 8 = 16$

| 3 | 6 | 7 |

$9 \times 7 = 63$

| 4 | 5 | 9 |

$6 \times 9 = 54$

| 2 | 3 | 4 |

$8 \times 3 = 24$
또는 4 3 2

| 2 | 4 | 6 |

$7 \times 6 = 42$

🃏 수 카드를 한 번씩만 사용하여 곱셈식을 만들어 보세요.

| 1 | 2 | 4 | 7 |

$2 \times 7 = 14$
또는 7 2

| 1 | 2 | 3 | 4 |

$3 \times 4 = 12$
또는 4 3

| 0 | 3 | 5 | 6 |

$5 \times 6 = 30$
또는 6 5

| 1 | 2 | 3 | 7 |

$3 \times 7 = 21$
또는 7 3

| 2 | 3 | 7 | 9 |

$3 \times 9 = 27$
또는 9 3

| 1 | 4 | 4 | 6 |

$4 \times 4 = 16$

| 5 | 6 | 7 | 8 |

$7 \times 8 = 56$
또는 8 7

| 3 | 4 | 6 | 9 |

$4 \times 9 = 36$
또는 9 4

58·59쪽

72일 문제 해결하기 (1)

🃏 물음에 답하세요.

사과가 한 상자에 5개씩 있습니다. 8상자에 들어 있는 사과는 모두 몇 개일까요?

식 $5 \times 8 = 40$ 답 40 개

신지의 나이는 7살입니다. 신지 아버지의 나이는 신지 나이의 6배입니다. 신지 아버지는 몇 살일까요?

식 $7 \times 6 = 42$ 답 42 살

문어의 다리는 8개입니다. 문어 7마리의 다리는 모두 몇 개일까요?

식 $8 \times 7 = 56$ 답 56 개
또는 $7 \times 8 = 56$

빨간색 공을 뽑으면 3점, 파란색 공을 뽑으면 0점입니다. 민성이는 파란색 공을 5개 뽑았습니다. 민성이의 점수는 몇 점일까요?

식 $0 \times 5 = 0$ 답 0 점
또는 $5 \times 0 = 0$

🃏 물음에 답하세요.

 답을 적는 곳에 단위가 표시되어 있지 않으면 단위까지 적어야 정답입니다.

색종이 한 장을 2조각씩 몇 장 잘랐더니 모두 16조각이 되었습니다. 색종이를 몇 장 잘랐을까요?

색종이를 2조각씩 몇 장 잘랐더니 16조각이 되었습니다. (2x□=16조각)

$2 \times □ = 16, □ = 8$ (8장)

진우가 달걀을 매일 몇 개씩 4일 동안 먹었더니 진우가 먹은 달걀은 모두 20개입니다. 진우가 하루에 먹은 달걀은 몇 개일까요?

$□ \times 4 = 20, □ = 5$ (5개)

학생들이 한 줄에 9명씩 4줄로 서 있습니다. 학생들이 한 줄에 6명씩 선다면 몇 줄이 될까요?

$9 \times 4 = 6 \times □, □ = 6$ (6줄)

한 상자에 3개씩 들어 있는 배가 8상자 있습니다. 이 배를 한 상자에 4개씩 담는다면 몇 상자가 될까요?

$3 \times 8 = 4 \times □, □ = 6$ (6상자)

73 문제 해결하기 (2)

■ 물음에 답하세요.

두발자전거가 6대, 세발자전거가 2대 있습니다. 자전거 바퀴는 모두 몇 개일까요?

두발자전거 바퀴 수: 2×6=12(개)
세발자전거 바퀴 수: 3×2=6(개)
자전거 바퀴 수: 12+6=18(개)

두발자전거 바퀴: 2×6=12(개)
세발자전거 바퀴: 3×2=6(개)
⇒ 12+6=18(개)

(18개)

돼지의 다리는 4개, 오리의 다리는 2개입니다. 농장에 돼지 7마리와 오리 9마리가 있습니다. 돼지와 오리의 다리 수는 모두 몇 개일까요?

돼지 다리: 4×7=28(개)
오리 다리: 2×9=18(개)
⇒ 28+18=46(개)

(46개)

민아는 종이에 삼각형 5개와 사각형 3개를 그렸습니다. 민아가 그린 도형의 변은 모두 몇 개일까요?

삼각형 변: 3×5=15(개)
사각형 변: 4×3=12(개)
⇒ 15+12=27(개)

(27개)

사과 2개, 귤 5개가 한 상자에 들어 있습니다. 6상자에 들어 있는 과일은 모두 몇 개일까요?

사과: 2×6=12(개), 귤: 5×6=30(개)
⇒ 12+30=42(개)

(42개)

한 상자에 과일이 7개 들었으므로 7×6=42(개)로 구할 수도 있습니다.

■ 물음에 답하세요.

준호의 나이는 9살입니다. 준호의 이모의 나이는 준호 나이의 5배보다 1살 적습니다. 준호의 이모는 몇 살일까요?

9+5=45, 45살보다 1살 더 적으므로
45-1=44(살)

9×5=45
⇒ 45-1=44(살)

(44살)

진서는 색연필을 8자루 가지고 있습니다. 지후는 진서가 가진 색연필의 2배보다 3개 더 많이 가지고 있습니다. 지후가 가진 색연필은 몇 자루일까요?

8×2=16
⇒ 16+3=19(자루)

(19자루)

40쪽짜리 동화책이 있습니다. 시유가 5일 동안 매일 7쪽씩 읽었습니다. 시유가 동화책을 모두 읽으려면 몇 쪽 더 읽어야 할까요?

5×7=35
⇒ 40-35=5(쪽)

(5쪽)

버스 한 대에는 45명이 탈 수 있습니다. 한 줄에 6명씩 8줄로 서 있는 학생들이 버스에 타려고 합니다. 버스에 타지 못하는 학생은 몇 명일까요?

6×8=48
⇒ 48-45=3(명)

(3명)

74 여러 가지 곱셈 방법

■ 블록의 수를 구하는 여러 가지 방법입니다. 빈칸에 알맞은 수를 써넣으세요.

3 × 5에 2 × 2 을/를 더합니다.

3 × 3에 5 × 2 을/를 더합니다.

5 × 5에서 2 × 3 을/를 뺍니다.

또는 2 3
6 × 2에 3 × 2 을/를 더합니다.

또는 4 3
3 × 2에 3 × 4 을/를 더합니다.

또는 4 6
6 × 4 에서 3 × 2를 뺍니다.

■ 여러 가지 방법으로 블록의 수를 구해 보세요.

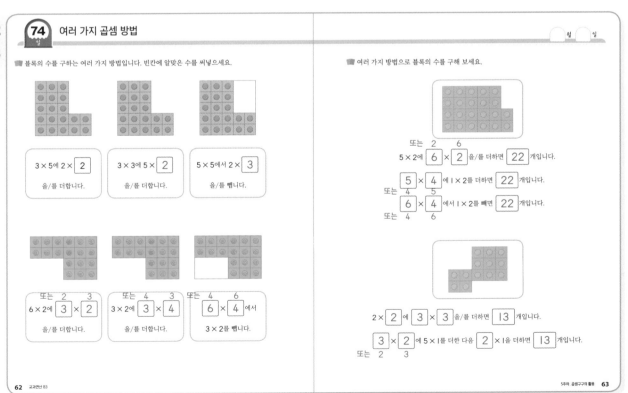

또는 2 6
5 × 2에 6 × 2 을/를 더하면 22 개입니다.

또는 5 4
5 × 4에 1 × 2를 더하면 22 개입니다.
4 5

또는 6 4
6 × 4에서 1 × 2를 빼면 22 개입니다.
4 6

2 × 2에 3 × 3 을/를 더하면 13 개입니다.

3 × 2에 5 × 1를 더한 다음 2 × 1을 더하면 13 개입니다.
또는 2 3

점수 구하기

월 일

■ 화살을 맞힌만큼 점수를 얻습니다. 표를 완성하고 점수를 구해 보세요.

점수판의 수	0	1	2	3
맞힌 횟수(번)	2	3	0	1
점수(점)	0×2=0	1×3=3	2×0=0	3×1=3

$$0 + 3 + 0 + 3 = 6 \text{(점)}$$

점수판의 수	0	1	2	3
맞힌 횟수(번)	2	1	2	3
점수(점)	0×2=0	1×1=1	2×2=4	3×3=9

$$0 + 1 + 4 + 9 = 14 \text{(점)}$$

점수판의 수	0	1	2	3
맞힌 횟수(번)	4	0	3	2
점수(점)	0×4=0	1×0=0	2×3=6	3×2=6

$$0 + 0 + 6 + 6 = 12 \text{(점)}$$

■ 공 또는 주사위 눈의 수만큼 점수를 얻습니다. 표를 완성하고 점수를 구해 보세요.

공에 적힌 수	0	1	2	3
꺼낸 횟수(번)	3	4	0	1
점수(점)	0×3=0	1×4=4	2×0=0	3×1=3

1이 적힌 공은 4번 꺼냈으므로 1×4=4(점)입니다.

얻은 점수 (7)점

$$0+4+0+3=7\text{(점)}$$

공에 적힌 수	0	1	2	3	4
꺼낸 횟수(번)	2	3	4	0	1
점수(점)	0×2=0	1×3=3	2×4=8	3×0=0	4×1=4

$$0+3+8+0+4=7\text{(점)}$$ 얻은 점수 (15)점

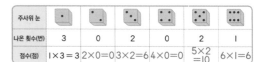

주사위 눈	·	··	···	::	::·	:::
나온 횟수(번)	3	0	2	0	2	1
점수(점)	1×3=3	2×0=0	3×2=6	4×0=0	5×2=10	6×1=6

$$3+0+6+0+10+6=25\text{(점)}$$ 얻은 점수 (25)점

66쪽

■ 물음에 답하세요.

공 꺼내기를 합니다. 0점짜리 공 2개, 1점짜리 공 3개, 2점짜리 공 1개, 3점짜리 공 0개를 꺼냈습니다. 꺼낸 공의 점수는 모두 몇 점일까요?

0점짜리 공 2개: 0×2=0(점)
1점짜리 공 3개: 1×3=3(점)
2점짜리 공 1개: 2×1=2(점)
3점짜리 공 0개: 3×0=0(점)

$$0×2=0, 1×3=3, 2×1=2, 3×0=0$$
$$\Rightarrow 0+3+2+0=5\text{(점)}$$

(5점)

민호가 화살을 10번 쏘았습니다. 0점에 4번, 1점에 2번, 2점에 0번, 3점에 4번 맞혔습니다. 민호가 얻은 점수는 모두 몇 점일까요?

$$0×4=0, 1×2=2, 2×0=0, 3×4=12$$
$$\Rightarrow 0+2+0+12=14\text{(점)}$$

(14점)

축구 경기를 하여 이기면 3점, 비기면 1점, 지면 0점을 얻습니다. 이긴 팀이 5팀, 비긴 팀이 2팀, 진 팀이 5팀입니다. 12팀이 얻은 점수는 모두 몇 점일까요?

$$3×5=15, 1×2=2, 0×5=0$$
$$\Rightarrow 15+2+0=17\text{(점)}$$

(17점)

주사위를 굴려 나온 수만큼 점수를 얻습니다. 1이 3번, 2가 1번, 3이 0번, 4가 4번, 5가 0번, 6이 3번 나왔습니다. 주사위를 굴려 나온 점수는 모두 몇 점일까요?

$$1×3=3, 2×1=2, 3×0=0, 4×4=16$$
$$5×0=0, 6×3=18$$
$$\Rightarrow 3+2+0+16+0+18=39\text{(점)}$$

(39점)

하루 한 장 75일
집중 완성

교과 연산

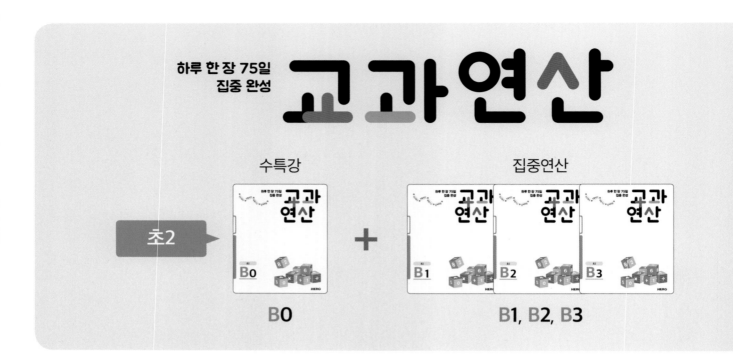

"연산을 이해하려면 수를 먼저 이해해야 합니다."

"계산은 문제를 해결하는 하나의 과정입니다."

"교과연산은 상황을 판단하는 능력을 길러주는 연산입니다."